# CAPITAINE BOBETTE ET LA BAGARRE ... DE BIOCROTTE DENÉ 1re PARTIE : LA NUIT NOIRE DES NARINES MORVEUSES

Le sixième roman épique de

## DAV PILKEY

Texte français de Grande-Allée Translation Bureau

Éditions
■ SCHOLASTIC

## Avis aux parents et enseignants
Les fôtes d'ortograf
dent les BD de Georges et Harold
son vous lues.

Copyright © Dav Pilkey, 2004.
Copyright © Éditions Scholastic, 2004, pour le texte français.
Tous droits réservés.

Il est interdit de reproduire, d'enregistrer ou de diffuser, en tout ou en partie,
le présent ouvrage par quelque procédé que ce soit, électronique, mécanique,
photographique, sonore, magnétique ou autre, sans avoir obtenu
au préalable l'autorisation écrite de l'éditeur. Pour toute information
concernant les droits, s'adresser à Scholastic Inc.,
557 Broadway, New York, NY 10012, É.-U.

ISBN-13 : 978-0-439-97008-2

Titre original : Captain Underpants
and the Big, Bad Battle of the Bionic Booger Boy
Part 1 : The Night of the Nasty Nostril Nuggets

Édition publiée par les Éditions Scholastic,
604, rue King Ouest, Toronto (Ontario)  M5V 1E1.

8 7 6 5 4      Imprimé au Canada 121      15 16 17 18 19

**MIXTE**
Papier issu de
sources responsables
**FSC® C004071**

À AMY ET À JODI

# TABLE DES MATIÈRES

Georges et Harold sont fiers de présenter

# La terrible vérité à propos du capitaine Bobette

Une production des Éditions de l'arbre

Il était une foie
deux p'tits gars
super appelés
Georges et Harold.

Leur directeur
était le méchant
M. Bougon.

Un jour, M. Bougon
a puni Georges
et Harold.

Ils ont donc sorti
l'Anneau hynoptique 3-D
et l'ont hynoptisé avec.

Ils lui ont fait croire qu'il était un superéros.

Tu es maintenant le capitaine Bobette

Oui, maître.

Sa devait être une blague.

Tra-la-laaaa

Ha Ha Ha

...mais les choses se sont compliquées

fenêtre

M'en va combattre les méchants

...pas mal trop compliquées!!!

Hé! Reviens ici!

Tra-la-laaa!

Puis un jour, il
ses fait attaquer
par un pisse-en-lit.

À l'aide!

C'est pas
drôle
quand
sa arive!

Alor, Georges a volé
du superjus croissance
accélérée à un
extraterrestre

Ayoye!

et lui en a donné.

Avale
ça!

Glou
glou
glou

S.C.A

Mais le jus donne
des superpouvoirs.

Hé, je
peux voler.
Je suis
super!

Génial.

Ho-ho.

Maintenant, quand M. Bougon entend quelqu'un claquer des doigts...

Clac!

Il devient tu-sais-qui.

Tra-la-laaaa!

Oh non!

Encore!

Et la seule fasson de l'arêter, c'est de lui verser de l'eau sur la tête.

H2O

Eh!

Il redevient alors M. Bougon.

Pourquoi vous avez fait ça?

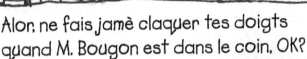

Alor, ne fais jamè claquer tes doigts quand M. Bougon est dans le coin, OK?

FIN

# CHAPITRE 1
# GEORGES ET HAROLD

Voici Georges Barnabé et Harold Hébert.
Georges, c'est le petit à gauche avec une cravate
et des cheveux coupés carré. Harold, c'est le
garçon aux cheveux fous à droite qui porte un
t-shirt. Ils vont t'accompagner tout au long de
l'histoire.

Les notes que Georges et Harold obtiennent à l'école font penser pas mal à une baleine : « C »-tacé ordinaire!

Louis Labrecque, lui (c'est le p'tit gars avec le nœud papillon et les lunettes), obtient toujours des « A ».

Parce que Louis est un surdoué, les gens pensent qu'il est beaucoup plus intelligent que Georges et Harold.

Mais ils se trompent.

Tu vois, Georges et Harold sont aussi intelligents que les surdoués… mais d'une façon *différente* qu'on ne peut pas mesurer par des examens ou des exercices.

SE LAVER
LES MAINS
DANS
DES TOILETTES

Georges et Harold ne savent peut-être pas épeler sans faire de fautes et ils ne connaissent pas leurs tables de multiplication. Leur grammaire « n'es » pas très bonne, non plus. Mais lorsque vient le temps de sauver la planète des vilaines forces du mal implacables, personne n'arrive à la cheville de Georges Barnabé et d'Harold Hébert.

Heureusement que Georges et Harold sont assez intelligents pour se sortir du pétrin, parce qu'à cause de leurs bêtises, ils sont toujours dans le pétrin. Une fois, ils se sont trouvés dans une situation vraiment *CROTTEDENESQUE*.

Mais, avant de te raconter cette histoire-là, il faut que je te raconte cette histoire-ci…

# CHAPITRE 2
# LES ÉCRABOUILLES, 1ᴿᴱ PARTIE

C'est le jour des démonstrations orales dans la classe de français de quatrième année de Mme Rancier. Chaque élève doit expliquer comment faire quelque chose. Les premiers à passer, David Plante et Marco Lebrun, montrent comment faire un exposé quand on n'est pas préparé. La prof leur donne un D-.

Ensuite, Jennifer Malo et Virginie Valois montrent comment faire cuire une lasagne congelée dans un grille-pain.

Après le départ des pompiers, c'est au tour de Georges et d'Harold. Harold fixe soigneusement des tableaux et des graphiques au mur, à l'aide de punaises, pendant que Georges apporte une grosse poubelle, sur laquelle est collé un siège de toilette.

Vue de prôfile

« Mesdames et messieurs, dit Georges.
Aujourd'hui, Harold et moi, on va vous montrer
comment faire une "écrabouille". Il faut d'abord
deux sachets de ketchup et un siège de toilette. »

« Ensuite, dit Harold en montrant le tableau,
il faut plier les sachets de ketchup en deux et les
placer soigneusement sous le siège de toilette.
Les sachets doivent être directement en dessous
des deux bosses d'en avant. »

« Quand les sachets sont bien en place, dit Harold, il faut juste attendre que quelqu'un s'assoie sur le siège de toilette. Est-ce qu'il y a des volontaires? »

« Qui veut une belle "écrabouille"? » demande Georges, à son tour.

Même si personne dans la classe ne veut s'asseoir sur le siège de toilette, tout le monde veut voir ce qui se passerait si quelqu'un OSAIT le faire. Georges saisit donc un côté du siège de toilette et Harold saisit l'autre. Ensemble, ils appuient dessus.

*Splache!!! Splache!!!*

Tous les élèves sont ravis (sauf les deux qui sont assis directement en face du siège de toilette, mais ça, ça se comprend). « Vive les écrabouilles! » crie tout le monde.

D'habitude, la prof, Mme Rancier, aurait été pas mal fâchée de la démonstration de Georges et d'Harold.

Elle aurait crié pendant des heures sur leur
« comportement imitable » et le fait que ce n'est
pas gentil d'asperger de ketchup les bobettes des
gens. Mais Mme Rancier a pas mal changé depuis le
dernier album. Maintenant, elle aime S'AMUSER!

« Venez, les enfants! s'écrie Mme Rancier. Allons
à la cafétéria prendre des sachets de ketchup! Des
écrabouilles pour TOUT LE MONDE! »

« HOURRA! » crient tous les enfants en
bondissant de leur chaise et en s'élançant vers
la porte de la classe.

« PAS SI VITE! hurle Louis Labrecque en bloquant la porte de ses bras en signe de défiance. Vous vous comportez comme des *vrais* bébés! »

# CHAPITRE 3
# LE COMBINOTRON 2000

Louis Labrecque, le maniaco-cerveau de l'école, ne va laisser personne sortir de la classe avant qu'il ait fait sa démonstration orale.

« Il nous reste encore 15 minutes avant le dîner, dit Louis, et c'est juste le temps qu'il me faut pour vous faire la démonstration de ma nouvelle invention, le Combinotron 2000. »

« Ah, *noooon*! » gémissent les camarades de classe de Louis.

Les enfants se laissent tomber sur leur chaise pendant que Louis pousse un chariot de plastique à roulettes devant la classe. Sur le dessus du chariot, il y a un hamster, un petit robot (fabriqué par Louis lui-même) et un truc bizarre en forme de cornet de crème glacée.

« Aujourd'hui, dit Louis, je vais vous montrer comment transformer un hamster ordinaire en cyber-esclave bionique. »

Louis place son hamster apprivoisé, Sulu, à une extrémité du chariot et son tout-petit-robot-fait-maison à l'autre extrémité.

« Je vais maintenant combiner ce hamster ordinaire et ce petit robot, au moyen du Combinotron 2000. »

Louis prend le Combinotron 2000 et le met en marche. Un son superaigu fend l'air de la classe. Il devient de plus en plus strident au fur et à mesure que la machine atteint son plein pouvoir. Pendant que son extracteur au laser se réchauffe, Louis tape des calculs de dernière minute sur le clavier situé sur le côté du Combinotron 2000.

Soudain, deux rayons lumineux rouges touchent Sulu et le petit robot. Le Combinotron 2000 commence à assimiler l'information sur les deux éléments qu'il va combiner. « Ne vous inquiétez pas, les amis, dit Louis. Ça ne fait pas mal du tout. Sulu ne sentira rien. » Enfin, une voix numérique commence à réciter le compte à rebours :

« **Combinaison de deux éléments dans cinq secondes. Combinaison de deux éléments dans quatre secondes. Combinaison de deux éléments dans trois secondes. Combinaison de deux éléments dans deux secondes. Combinaison de deux éléments dans une seconde.** »

*BLAZZZZ!*

Un éclat de lumière blanche jaillit du
Combinotron 2000 et crée une boule d'énergie
entre Sulu et le petit robot. Le hamster et le
robot se rapprochent l'un de l'autre en glissant,
jusqu'à ce qu'ils disparaissent dans la boule
d'énergie.

Une odeur d'allumette brûlée et de relish remplit l'air pendant que des coups de vent électriques font tomber les livres des étagères et envoient valser les feuilles. Soudain, il y a un éclat de lumière aveuglant et un petit nuage de fumée, puis tout est fini.

Louis retire ses lunettes protectrices. Ce ne
sont plus un hamster et un robot qui sont placés
sur le chariot. Le hamster et le robot ne font plus
qu'un. Ils sont combinés au niveau cellulaire.
Le premier cyborg bionique poilu à sang chaud
autonome au monde est né.

« EURÊKA! crie Louis. ÇA A MARCHÉ! J'ai
créé une forme de vie cybernétique! »

Les élèves regardent Louis passer un détecteur
de métal au-dessus du hamster. La lecture
dépasse les limites du tableau. Un des élèves
lève la main pour poser une question.

« Oui? » dit Louis avec enthousiasme.

« Est-ce qu'on peut aller à la cafétéria chercher nos sachets de ketchup, maintenant? »

« Mais... NON! s'écrie Louis. Voulez-vous bien arrêter de penser aux écrabouilles UNE MINUTE?!!? Je viens juste de créer le premier hamster cybernétique au monde et personne ne va quitter la salle avant que j'aie fait la démonstration de son obéissance éternelle! »

# CHAPITRE 4
# MÉCHANT SULU

Sulu ne semble pas réaliser qu'il a subi une transformation extraordinaire. Son comportement est le même. Il se promène simplement sur le dessus du chariot de plastique roulant en reniflant tout sur son passage. Il s'arrête de temps en temps pour se gratter les oreilles ou se frotter les poils. Mais le pauvre Sulu ne sait vraiment pas ce qui l'attend.

« Sulu, dit Louis, je suis ton maître et tu dois m'obéir. Je veux que tu montres tes nouveaux pouvoirs à la classe. Je veux que tu fasses un saut superbionique. »

Sulu ne réagit pas.

« Sulu! dit Louis sévèrement. Réduis ce chariot de plastique en poussière de tes pattes nues! »

Sulu ne réagit pas.

« SULU! hurle Louis. Sors de la classe, soulève une voiture et lance-la de l'autre côté du stationnement! »

Sulu ne réagit pas.

Enfin, Louis prend son sac d'école et en sort une raquette de ping-pong spécialement conçue pour sa démonstration. « Sulu, dit-il en colère, fais ce que je te dis, sinon, je te donne une bonne fessée! »

Cette fois-ci, Sulu réagit. Aussitôt qu'il aperçoit la raquette de ping-pong, il a peur. Son instinct de petit hamster prend le dessus. Sulu saute. De sa main droite, il arrache la raquette de ping-pong des mains de Louis et, de sa patte gauche, il attrape Louis et le lance sur le chariot roulant.

Les enfants arrêtent de penser aux sachets de ketchup et aux toilettes pendant un instant et regardent le spectacle.

# CHAPITRE 5

# CHAPITRE D'UNE EXTRÊME VIOLENCE, 1<sup>RE</sup> PARTIE
## (EN TOURNE-O-RAMA<sup>MC</sup>)

## AVERTISSEMENT :

Le chapitre suivant contient
des représentations graphiques d'un
hamster bionique donnant la fessée
à un méchant petit garçon. Même si
cette scène est présentée dans le but
de faire rire, les producteurs de ce livre
reconnaissent que les attaques de
hamster ne sont pas drôles. Si toi ou
quelqu'un que tu aimes beaucoup avez
été victime d'une attaque de hamster,
nous vous conseillons fortement
de communiquer avec un groupe
d'entraide de votre région.

Voici le **TOURNE**

Le problème avec la violence graphique, c'est que c'est rarement AMUSANT!

Mais tout ça a changé avec l'invention du TOURNE-O-RAMA. Regarde bien!

# O-RAMA

PILKEY™

## MODE D'EMPLOI :

### Étape nº 1

Place la main gauche sur la zone marquée « MAIN GAUCHE » à l'intérieur des pointillés. Garde le livre ouvert et bien à plat.

### Étape nº 2

Saisis la page de droite entre le pouce et l'index de la main droite (à l'intérieur des pointillés, dans la zone marquée « POUCE DROIT »).

### Étape nº 3

Tourne rapidement la page de droite dans les deux sens jusqu'à ce que les dessins aient l'air animés.

(Pour avoir encore plus de plaisir, tu peux faire tes propres effets sonores!)

# TOURNE-O-RAMA 1

(pages 41 et 43)

N'oublie pas de tourner
*seulement* la page 41.
Assure-toi de pouvoir voir les dessins
aux pages 41 *et* 43 en tournant la page.
Si tu la tournes assez vite, les dessins
auront l'air d'un seul dessin animé.

N'oublie pas de faire
tes propres effets sonores!

**MAIN GAUCHE**

# MÉMORABLE
# FESSÉE

POUCE
DROIT

INDEX
DROIT

# MÉMORABLE
# FESSÉE

# CHAPITRE 6
# LES CONSÉQUENCES

Bien que Sulu ne lui ait pas *vraiment* administré une grosse fessée, Louis gémit, pleure et continue de chialer.

« Tu es un MÉCHANT hamster! pleurniche Louis. Je ne veux plus *jamais* te voir de *toute* ma vie! »

Louis sort de la classe en courant et en sanglotant. Le reste de la classe, y compris Mme Rancier, le suit en riant et en chantant « É-cra-bouilles, é-cra-bouilles! » Quant à Georges et Harold, ils restent dans la classe pour réconforter le hamster oublié.

« Ne t'en fais pas, Sulu, dit Georges. Louis est très méchant! »

« Ouais, dit Harold. Tu veux rentrer à la maison avec nous? Tu pourrais vivre dans notre maison dans l'arbre. »

Sulu saute sur l'épaule d'Harold et lui lèche le visage. Il saute ensuite sur l'épaule de Georges et lui lèche le visage, à lui aussi.

« Je crois bien que nous venons d'adopter un hamster bionique », dit Harold.

Georges installe leur nouveau compagnon dans la poche de sa chemise, puis les trois amis s'en vont dîner.

# CHAPITRE 7
# M. BOUGON

À peu près au même moment, le directeur de l'école, M. Bougon, arrive dans son bureau en marchant bruyamment. Il est d'une humeur particulièrement mauvaise. Il s'arrête au bureau de Mme Empeine, en soufflant comme un bœuf.

« Où est mon café, Édith? » s'écrie-t-il.

« Allez donc le chercher vous-même, baquet! » rétorque Mme Empeine.

« Je ne veux pas de vos insolences aujourd'hui, madame, grogne M. Bougon. Je veux simplement mon café et je le veux MAINTENANT! »

« Alors, pendant que vous y êtes, apportez-moi une tasse aussi », grogne à son tour Mme Empeine.

« Grrrr! » fait M. Bougon en signe de frustration tout en empoignant le journal et en se dirigeant vers la toilette du personnel. Mme Rancier se tient juste à côté de la porte. Elle sourit et essaie très fort de ne pas rire.

« Qu'est-ce que vous regardez comme ça? »
rugit M. Bougon en passant devant Mme Rancier
et en faisant claquer la porte de la toilette
derrière lui. De l'extérieur, on peut entendre
le bruit d'une boucle de ceinture qui tinte, le
glissement d'une fermeture éclair, le frou-frou
des vêtements et finalement...

*SPLACHE!!! SPLACHE!!!*

« MAIS QU'EST-CE QUI…! s'écrie M. Bougon dans la toilette. J'AI DU KETCHUP DANS LES BOBETTES! »

Quelques minutes plus tard, la porte de
la toilette du personnel s'ouvre brusquement.
« Georges et Harold vont me payer ça! » crie
M. Bougon.

« Ce n'est pas eux, dit Mme Rancier en riant.
C'est moi! Ça s'appelle une *écrabouille*. C'est le
dernier truc à la mode! »

« Vraiment? Très drôle! dit M. Bougon. Où
sont ces deux chenapans? Je SAIS qu'ils sont
derrière tout ça! »

En se dirigeant vers la cafétéria, M. Bougon remarque qu'il n'est pas la seule victime des redoutables écrabouilles. Dans le corridor, des élèves en colère de première, de deuxième, de troisième, de cinquième et de sixième années se plaignent des taches de ketchup sur leurs pantalons, leurs bas, leurs jambes et leurs bobettes. M. Bougon entre dans la cafétéria comme un ouragan et se dirige tout droit vers la table des élèves de quatrième année.

« Georges et Harold! crie M. Bougon. J'ai les bobettes tachées de ketchup par votre faute. Et la moitié des élèves de l'école aussi! »

« C'est pas nous! » dit Harold.

« C'est vrai, disent d'autres élèves de quatrième année. Georges et Harold sont innocents. »

« Ils ne sont PAS innocents », dit une voix de l'autre côté de la table. C'est Louis Labrecque. En plus d'être le maniaco-cerveau de l'école, Louis a la réputation d'être le bavasseur de l'école. « Aujourd'hui, Georges et Harold ont enseigné un tour à tout le monde. Il s'agit de mettre des sachets de ketchup sous un siège de toilette pour qu'ils éclaboussent les jambes des gens », dit Louis avec fierté.

« Merci, Louis », dit M. Bougon. Il se tourne vers Georges et Harold, et leur montre la porte de la cafétéria du doigt. « Monsieur Barnabé, monsieur Hébert, DEHORS! »

# CHAPITRE 8
# LA BANDE DESSINÉE
# EST PLUS FORTE
# QUE LE BAVASSEUR

M. Bougon envoie Georges et Harold
directement en retenue.

« Louis est un vrai bavasseur, dit Harold.
Quelqu'un devrait lui donner une bonne leçon. »

« Et justement, on s'y connaît bien en bonnes
leçons », dit Georges.

Georges et Harold créent donc un tout nouvel album de bandes dessinées mettant en vedette Louis Labrecque, le bavasseur préféré de tout le monde. Quand l'album est terminé, les deux garçons se faufilent hors de la salle de retenue pour en faire des photocopies et les vendre dans le corridor.

Le nouvel album de bandes dessinées connaît
un grand succès. Tout le monde l'adore. Euh!
je devrais dire tout le monde... sauf Louis
Labrecque. En se rendant à son dernier cours de
la journée, Louis remarque des petits groupes
d'élèves qui lisent des bandes dessinées en
rigolant. D'habitude, ça aurait suffi pour le faire
courir chez le directeur pour bavasser (la lecture
sans supervision est strictement défendue). Mais
aujourd'hui, Louis remarque quelque chose
d'étrange. Les élèves qui lisent les bandes
dessinées LE montrent du doigt et rient de LUI.

« Quoi? demande Louis. Qu'est-ce qu'il y a?
Pourquoi riez-vous? » Louis regarde partout
dans le corridor, désespéré. Tout le monde rit...
tout le monde le pointe du doigt... et ça le rend
fou! Il s'approche d'un groupe d'élèves de
deuxième année, s'empare de leur livre de
bandes dessinées et jette un coup d'œil à la
couverture. Louis est FURIEUX!

« VOUS ÊTES DES *VRAIS* BÉBÉS!!! » crie Louis. Il s'éloigne rapidement pour aller lire les bandes dessinées en paix, mais partout où il passe, les gens le montrent du doigt et rient de lui. Louis se rend donc au seul endroit où il pourra lire en paix : la toilette des garçons. Il s'enferme dans une cabine et s'assoit.

## SPLACHE!!! SPLACHE!!!

Pendant qu'il lit, les jambes pleines de
ketchup, il sent la colère monter. « Georges
et Harold vont me payer ça! » jure Louis.

# LE CAPITAINE BOBETTE ET LA TERRIFIANTE HISTOIRE DU BAVASSEUR ROBOTISÉ 2000

## Par Georges Barnabé et Harold Hébert

Voici un p'tit gars idiot nommé Louis. C'est tout un bavasseur.

Je vais le dire

Ne pas marcher sur le gazon

Partout où il va, il cause misaire et désolation.

Je vais le dire

Rouli-roulant interdit

Jusqu'au jour où...

Banque

Je vais le dire

$

CRAC

Hé, la polisse! Ce gars-là vient de voler la banque.

Merci, p'tit gars!

$

Le maire Louis passe bocou de nouvelles lois idiotes.

Les gens se font arrêter partou

Et ils sont tous envoyés en prizon.

**Soudain...**

Monsieur le maire! Toutes les prisons sont pleines!

Hum...

MAIRE

Je vais construire une énorme prizon-robot et attraper ces or-la-loi moi-même!

Il construit donc le Bavasseur robotisé 2000.

BOUM BOUM

?

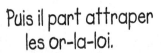

Puis il part attraper les or-la-loi.

Vieilles femmes interdites

Ça vous apprendra!

Pui Louis se dirije ver l'écolle.

À l'aide! Le Bavasseur robotisé 2000 a traversé le terrain de soccer et a écrazé le prof de gym!

Oh non! On vient de plenter le gazon!

Directeur

On a besoin du...

Directeur

PATATRAS

Capitaine Bobette!

Mais le capitaine Bobette est plus vite qu'un élastique lancé à toute vitesse...

plus fort qu'un boxeur...

et peut sauter par-dessus les hauts zi-meubles sans accrocher ses bobettes.

Le capitaine Bobette veut combattre le robot mais sans fère de mal aux gens à l'intérieur.

Il a une idée.

Fabrique de *jus de pruneaux* de Mme Ploc

Jus de pruneaux

Fabrique de *jus de pruneaux* de Mme Ploc

PATATRAS

« Ça va faire plop »

Hé!

Jus de pruneaux

Mais qu'est-ce qui?

Oh, oh!

PROUT

On est libres!

PLOUC

Aah!!!

Bientôt, il ne reste plus personne dans le Bavasseur robotisé 2000, sauf Louis.

Oh, oh...

Je vais le dire!

Paf!

Puis...

Hourra pour le capitaine Bobette!

Prizon des enfants idiots

Vous êtes des vrè bébés!!!

# CHAPITRE 10
# M. LOUIS-LE-FOU

Louis est furieux. Il déchire le livre de bandes dessinées en deux et le lance par-dessus son épaule. Il se lave les mains dans la cuvette et sort de la toilette comme un ouragan.

« Georges et Harold vont me payer ça, dit Louis. Je vais leur donner une leçon qu'ils n'oublieront JAMAIS! »

À la fin de la journée, Louis attrape son Combinotron 2000 et rentre chez lui.

Son père et sa mère sont en train de travailler à un projet ultrasecret pour le gouvernement lorsqu'il entre.

« Bonjour, mon garçon, dit le père de Louis. As-tu passé une belle journée à l'école? »

« Épouvantable! répond Louis. Personne ne respecte mon intelligence. Ces idiots pas-de-cervelle mâcheurs de gomme sont plus impressionnés par les livres de bandes dessinées que par les merveilles de la science. Mais je vais leur montrer. Je vais leur montrer! Ha, ha, ha, ha, haaaa! »

« C'est bien, mon chéri », dit la maman de Louis.

Louis va dans sa chambre pour construire un tout nouveau robot superpuissant. Mais lorsqu'il ouvre la porte, il aperçoit Mimine, le chat de la famille, qui dort sur son lit.

« Hé! hurle Louis. Qu'est-ce que tu fais ici, espèce de chat imbécile? Tu sais que je suis allergique à toi! Sors d'ici et *a-a-a-atchoum!* NE REMETS PAS LES PATTES ICI! »

Quelques heures plus tard, Louis a terminé le plus récent et le plus puissant robot qu'il a jamais construit. Il a trois paires de globes oculaires au laser interchangeables, des jambes macrohydrauliques supersauteuses, des automabras superpulvérisateurs et une cage thoracique extensible à huit pinces et un système d'alimentation avec trois processeurs à double turbo 900 SP5 faits de titane et de lithium, le tout intégré dans un endosquelette télescopique flexible presque indestructible, capable de passer son poing à travers des blocs de ciment, de pulvériser l'acier et de réviser impitoyablement les phrases mal écrites.

Il peut aussi trancher les bagels.

« Ça devrait faire l'affaire, dit Louis en s'essuyant le nez avec un mouchoir. Maintenant, tout ce qu'il me reste à faire, c'est *a-a-atchoum!* de combiner mon corps avec ce robot bionique pour devenir le garçon le plus puissant qui a *a-a-a-atchoum!* jamais existé! »

# CHAPITRE 11
# LE RÊVE DE LOUIS

En assemblant et en réglant le Combinotron 2000,
Louis imagine sa vie de premier garçon bionique
au monde. Il se voit arriver à l'école le lendemain
matin, avec ses gros bras qui se balancent, et faire
son entrée en défonçant le mur de la classe.

Les filles, les yeux pleins d'admiration, l'écouteraient parler pendant des heures du merveilleux monde des sciences. Mme Rancier le laisserait probablement s'asseoir à son bureau à partir de ce moment-là parce que ses nouvelles foufounes d'acier seraient trop imposantes pour une chaise d'enfant ordinaire.

Peut-être que M. Bougon inviterait le premier ministre à visiter l'école pour lui faire admirer son élève le plus brillant et le plus fort. Le premier ministre établirait probablement un nouveau congé, la « Journée nationale de Louis Labrecque », soit la journée où les enfants du monde entier auraient des devoirs supplémentaires et des examens surprises pour honorer le glorieux Louis.

Mais le mieux serait la réaction de Georges
et d'Harold. Ils seraient si terrifiés par la taille et
la force incroyables de Louis qu'ils tomberaient
à genoux pour lui demander grâce. Louis leur
pardonnerait seulement s'ils promettaient d'être
ses esclaves pour l'éternité. Ils seraient obligés
de porter ses livres, de tailler ses crayons et
d'être ses poufs personnels à tous les cours.

« Ce sera *a-a-a-atchoum!* GÉNIAL! » se dit
Louis.

# CHAPITRE 12
# LA NUIT NOIRE DES NARINES MORVEUSES

Louis met le Combinotron 2000 en marche. Un son superaigu fend l'air et devient de plus en plus strident au fur et à mesure que la machine atteint son plein pouvoir. « Oups! » dit Louis en éteignant rapidement les effets spectaculaires pour ne pas réveiller ses parents. En silence, l'appareil continue de se charger pendant que Louis tape quelques calculs pour tenir compte de ses vêtements et de ses lunettes. Une fois l'extracteur au laser bien réchauffé, Louis se place devant le Combinotron 2000 et se tient immobile à côté de son nouveau robot.

Soudain, deux rayons lumineux rouges éclairent Louis et le robot. Le Combinotron 2000 commence à assimiler l'information sur les deux éléments qu'il est sur le point de combiner. Enfin, une voix numérique commence à réciter le compte à rebours :

« Combinaison de deux éléments dans cinq secondes. »

Louis reste parfaitement immobile.

« Combinaison de deux éléments dans quatre secondes. »

Le nez de Louis commence à lui piquer.

« Combinaison de deux éléments dans trois secondes. »

Soudain, Louis a une incontrôlable envie. Il se couvre la bouche et le nez avec les mains, tandis que ses yeux se ferment involontairement. « *A-a-a...* »

« Combinaison de deux éléments dans deux secondes. »

« *Atchoum!* » Louis regarde ses mains pleines de mucus et de morceaux croquants de crottes de nez à moitié séchées.

Instantanément, le Combinotron 2000 recalcule les éléments qui se trouvent dans son champ laser. « Combinaison de trois éléments dans une seconde. »

« TROIS éléments? s'écrie Louis, horrifié. Mais c'est quoi, le TROISIÈME ÉLÉMENT? »

Rapidement, les yeux de Louis font le tour de la pièce à la recherche du nouvel élément qui a pu se frayer un chemin dans le champ de vision de l'extracteur au laser.

« C'EST QUOI, LE TROISIÈME ÉLÉMENT??? » hurle-t-il de nouveau. Il regarde ensuite ses mains pleines de morve croustillante et dégoulinante.

« Oh, oh », dit Louis, alors qu'il est enveloppé par une explosion de lumière blanche aveuglante.

*BLAZZZZ!*

# CHAPITRE 13
## LE LENDEMAIN

Le lendemain, Louis n'est pas à l'école au début des classes. Personne ne semble s'en apercevoir parce que tous les enfants sont très excités à l'idée des exposés oraux. Presque tout le monde a apporté des trucs vraiment pourris, comme des livres ou des médailles, mais Georges et Harold, eux, ont apporté quelque chose de vraiment sensass.

« Tout le monde se souvient de Sulu, n'est-ce pas? demande Georges. Il est rentré avec nous hier et habite maintenant notre maison dans l'arbre. »

« Nous lui avons appris un tour vraiment génial! » dit Harold.

Les deux garçons ouvrent la fenêtre et placent Sulu sur le rebord. Harold tire un énorme melon d'eau de son sac d'école et le donne au hamster.

« Vas-y, Sulu, dit Georges, montre à tout le monde ton nouveau tour! »

D'un mouvement vif, Sulu colle sa bouche grande ouverte sur le melon d'eau et le pousse dans sa joue gauche. Les élèves de quatrième année sont stupéfaits.

« Non, non, dit Harold, ce n'est pas ça le tour. Regardez bien ce qui va se passer! »

Sulu regarde par la fenêtre et vise un arbre mort au fond de la cour de récréation vide. Il commence à mâchouiller le melon d'eau, puis avance ses petites babines de hamster et crache.

*Taratatatatatatatatatatatatatatatata!*

Une rafale de graines de melon d'eau sort de la bouche de Sulu et atteint la cible avec une grande précision. En quelques instants, l'arbre mort est réduit en un tas de brindilles et de sciure de bois. La classe applaudit pendant que Georges et Harold flattent leur stupéfiant petit compagnon bionique.

Georges et Harold sont sûrs que personne
ne battra leur exposé oral, mais ils se trompent.
À ce moment précis, un Louis Labrecque
dégoulinant marche dans le corridor en
direction de la classe. Il n'a rien apporté pour
l'exposé oral. C'est LUI, l'exposé.

# CHAPITRE 14
# LE CHAPITRE INUTILEMENT DÉGOÛTANT

## AVERTISSEMENT :

Le chapitre suivant
est extrêmement dégueulasse.

Pour éviter d'avoir la nausée,
de vomir ou de souffrir
d'autres troubles gastro-intestinaux
désagréables, évitez de manger
au moins une heure avant de le lire.

(Vous ne voudrez pas manger
après non plus,
je vous le garantis.)

Tous les élèves de quatrième année sont en train d'applaudir et de flatter Sulu, lorsque la porte de la classe s'ouvre lentement. Un monstre vert brillant entre en faisant un bruit de métal grinçant, et de bulles humides et gluantes qui explosent. Des filles se mettent à crier. Et des gars aussi.

« Vous êtes des *vrais* bébés! » lance l'horrible bête.

Aussitôt, les élèves reconnaissent la terrifiante créature qui se tient devant eux.

« *LOUIS?!!?* » hurlent-ils.

« Oui, c'est moi », gargouille le monstre tout mouillé, dégueulasse et en colère. De ses yeux et son nez dégouline un mucus chaud et vert, qui ressemble à de la crème pâtissière. Ses bras robotesques sont recouverts d'une tonne de petites boules de morve croustillante et miroitante. En se retournant pour fermer la porte, une partie de sa main reste collée à la poignée de porte. Elle coule lentement jusqu'au bas de la porte, tout en laissant une trace d'excrétions humides parsemée de petites bosses.

Louis se dirige vers sa chaise en dégoulinant et en laissant une traînée crottedenesque derrière lui. Chacun de ses pas gluants recouvre le sol d'une trace visqueuse et tout ce qu'il touche devient humide et s'encroûte d'une morve chaude, pleine de bulles et sirupeuse.

Lorsque Louis s'assoit, de généreuses quantités de matière visqueuse jaunâtre,

à l'aspect de pouding, dégoûtent lentement sur la chaise pour former des flaques crémeuses et gélatineuses par terre.

Les flaques sont légèrement transparentes et tachetées d'épais poils de narine et de boules de sang coagulé rouge foncé qui...

« ÇA SUFFIT! crie Georges au narrateur. Arrête la description, tu vas tous nous rendre malades! »

« Merci, Georges, dit Mme Rancier. Bon, Louis, raconte-nous ce qui t'est arrivé. »

« J'ai essayé de me combiner à un robot bionique hier soir, mais, par accident, j'ai éternué au dernier moment. »

« Ça fait que tu t'es combiné à un robot et à des *crottes de nez*? » demande Georges.

« Oui, dit Louis. Mais ne vous inquiétez pas, je suis en train de construire un Séparatron 1000 pour inverser les effets du Combinotron 2000 et me faire redevenir un garçon. Il devrait être fini dans six mois. »

« Six *MOIS?* » répète Harold.

« La division cellulaire est très complexe, dit Louis. Ce n'est pas comme construire un robot. Ça prend du temps! »

« Tu devrais essayer d'enlever les piles de ton Combinotron et de les remettre à l'envers, suggère Georges. Ça pourrait peut-être inverser les effets. »

Louis fait rouler ses yeux à infrarouge, couverts d'une épaisse croûte pleine de bulles. « C'est la chose la plus stupide que j'ai jamais entendue », gargouille-t-il.

# CHAPITRE 15
# LE NOUVEAU LOUIS

Tu penses sûrement que devenir un garçon bionique à la crotte de nez est la pire chose qui puisse arriver à un enfant, mais ce n'est pas si pire que ça. Crois-le ou non, il y a des avantages à être un petit morveux. Par exemple, Louis (que Georges et Harold ont surnommé *Biocrotte Dené*) gagne maintenant toutes les parties de football auxquelles il participe... parce que personne ne veut le frapper.

Et quand il fait un service au ballon-volant, personne dans l'équipe adverse n'ose retourner le ballon.

En plus d'être devenu une vedette du sport, Louis bénéficie d'autres avantages. Il n'a plus à se placer dans une file pour boire à la fontaine. Il a maintenant sa *propre* fontaine parce que… hum, boirais-tu à une fontaine après le passage de Biocrotte Dené?

C'est bien ce que je croyais.

Toute l'attention portée à Louis rend certains élèves un peu jaloux. Mais pas Georges et Harold. Compte tenu des méchants qu'ils ont combattus durant l'année, les deux garçons sont heureux que Louis ne se soit pas transformé en une bête gigantesque et monstrueuse, dont le seul but est de détruire la Terre.

« Ça pourrait être encore pire, dit Harold. Au
moins, Louis n'est pas devenu un vilain méchant
terrifiant. »

« Tu as raison, dit Georges. Je ne vois pas ce
qui pourrait transformer Louis en un vilain
méchant terrifiant... »

# CHAPITRE 16
# LA SAISON DU RHUME ET DE LA GRIPPE

L'automne arrive bientôt et apporte des changements : air vif et frisquet, gelée du matin et feuilles colorées. Mais il y a un autre changement qui n'est pas aussi bien accueilli : *la saison du rhume et de la grippe*.

À l'école Jérôme-Hébert, tout le monde est malade. Il y a plein de nez qui coulent, de bouches qui éternuent et de corps endoloris dans les corridors.

Malheureusement, un de ces nez, une de ces bouches et un de ces corps appartiennent à Louis Labrecque.

Chaque fois que Louis éternue, sa bouche projette des milliers de minuscules gouttelettes

de bave, qui éclaboussent le tableau d'une mince couche de mucus mousseux, brillant et jaune-vert.

« N'oublie pas de te couvrir la bouche, mon petit Louis », dit Mme Rancier.

« Je m'excuse », dit Louis en se couvrant la bouche avant d'éternuer une fois de plus. Cette fois, l'explosion d'air provenant de l'éternuement qu'il essaie de retenir laisse échapper d'énormes boules mouillées qui aspergent toute la classe.

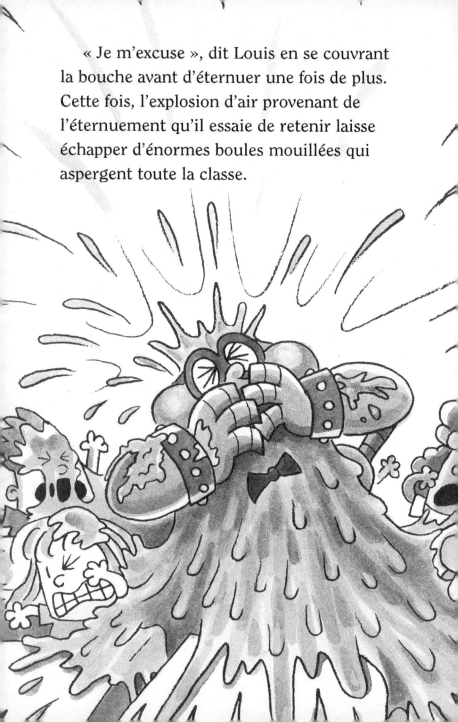

C'est comme si quelqu'un avait allumé un pétard géant dans un bidon de peinture verte. La matière gluante, chaude et odorante va se coller sur les cheveux des élèves, éclabousse leurs vêtements et s'abat sur chaque centimètre carré de la pièce.

« À bien y penser, dit Mme Rancier, ne te couvre *pas* la bouche, la prochaine fois. Bon, qui veut un biscuit? »

# CHAPITRE 17
# LA SORTIE ÉDUCATIVE

Le lendemain, étrangement, Mme Rancier est absente à cause d'un rhume. C'est M. Bougon qui la remplace et, comme d'habitude, il est très en colère.

« MAIS QU'EST-CE QUI SE PASSE DANS CETTE CLASSE? tonne-t-il. Pourquoi tous ces imperméables et ces parapluies? »

C'est alors que Louis éternue.

Un peu plus tard, M. Bougon revient en classe avec des vêtements propres, un imperméable et un parapluie. « ÉCOUTEZ! crie-t-il. Aujourd'hui, c'est jour de sortie éducative. Mme Empeine et moi allons vous faire visiter l'usine de papiers-mouchoirs Moucheron et Frères. Vous allez apprendre comment on fabrique les mouchoirs. »

Le mot « mouchoirs » fait sursauter Louis. « NON! hurle-t-il, pris de panique. MOI PAS AIMER MOUCHOIRS! »

Un silence inquiétant s'abat sur la classe. Tous regardent Louis, stupéfaits.

« Est-ce que Louis vient juste de dire *moi pas aimer mouchoirs?* » demande Harold.

« Ouais, répond Georges. Je ne l'ai jamais entendu faire une phrase aussi mal structurée. Il se prend pour qui? *Frankenstein*? »

# CHAPITRE 18
# LES CHOSES EMPIRENT

Quelques heures plus tard, les élèves de quatrième année sont tous entassés dans une usine puante et sans air climatisé, à écouter un discours ennuyant sur la façon de transformer les arbres en mouchoirs. Personne ne porte attention, sauf Louis Labrecque qui, lui, est terrorisé. Son corps tout entier tremble, alors qu'il emprunte les passages étroits de l'usine industrielle superbruyante.

DANGER
VISITE SUPER PLATE

MOUCHERON ET FRÈRES
UNE DIVISION DE MORVÉCIE^MC

La visite s'achève à la boutique-souvenirs, là où le directeur de l'usine, M. Moucheron, attend les élèves pour leur remettre une surprise.

« Derrière ce rideau rouge à pois noirs, dit M. Moucheron, vous trouverez chacun un cadeau gratuit. » Il tire le rideau pour découvrir une pile d'échantillons de paquets de mouchoirs. « Servez-vous, dit-il. Il y en a pour tout le monde! »

« NOOOON! crie Louis. MOI PAS AIMER MOUCHOIRS! »

« Ne sois pas stupide, dit M. Moucheron. Tout le monde *aime* les mouchoirs. Et les nôtres sont superabsorbants. Ils essuient la morve et le mucus! »

« NOOOON! crie encore Louis. MOUCHOIRS FONT *MAGIE DIABOLIQUE!* »

« Voyons donc! » dit M. Moucheron en riant. Il lance quelques paquets de mouchoirs en direction de Louis. « Ceux-là sont pour toi, jeune homme, dit-il. Mouche-toi bien! »

Les paquets de mouchoirs fendent l'air pour aller se coller au dos de Louis, qui pousse alors un grand cri. Ses yeux deviennent vert luisant et il commence à se frapper la poitrine. Il est en colère. Soudain, ses épaules se mettent à bouillonner. Sa poitrine s'élargit. L'acier télescopique flexible de son endosquelette fléchit et se met à grandir. Son cou et sa tête s'élargissent, et son corps enfle jusqu'à ce qu'il atteigne 5 mètres de hauteur.

Louis saisit les paquets de mouchoirs de ses doigts massifs et dégoulinants, et les jette par terre. « NE METTEZ PAS MOI EN COLÈRE! prévient Louis. VOUS PAS M'AIMER QUAND MOI EN COLÈRE! »

« Oups! dit M. Moucheron. Tu as échappé tes paquets de mouchoirs, mon jeune ami. En voilà d'autres! » M. Moucheron prend un tas de paquets de mouchoirs et les lance en direction de Louis.

# CHAPITRE 19
# LES CHOSES EMPIRENT ENCORE PLUS

Louis frappe frénétiquement les neuf nouveaux paquets de mouchoirs collés à son torse, comme s'il s'agissait d'un essaim d'abeilles en train de le piquer. Il les piétine de ses pieds de géant et saccage tout sur son passage pendant que son corps double, puis *triple* de volume. Louis donne des coups de pied et de poing sur les murs de la boutique-souvenirs en poussant un cri à glacer le sang.

« Ne pleure pas, jeune homme, lui dit
M. Moucheron. Tiens, prends d'autres mouchoirs
et sèche tes larmes! » Il lance plusieurs autres
paquets de mouchoirs vers Louis. (Comme tu
peux le voir, M. Moucheron n'est pas vraiment
une lumière.)

116

C'est le chaos total.
Une fois de plus, le corps gigantesque
de Louis se met à tripler de taille. Louis pousse
maintenant des rugissements, donne des coups
de pied et renverse les grosses machines géantes.
Les élèves se mettent à crier et à courir dans
tous les sens.

M. Moucheron pense pouvoir régler la situation en donnant d'autres mouchoirs à Louis. Mais avant qu'il puisse lui en lancer d'autres, une goutte de mucus de la taille d'une baignoire tombe du gros nez de Louis, éclabousse M. Moucheron et le colle au sol.

Georges et Harold se réfugient derrière le rideau rouge à pois noirs au moment où Louis défonce le toit de l'usine. Des rugissements à casser les oreilles sortent de sa supergigantesque bouche suintante pendant qu'il donne des coups de pied sur les murs de l'usine et renverse la machinerie lourde dans le stationnement. M. Bougon et Mme Empeine font de leur mieux pour garder le contrôle de la situation, sans succès.

« Hé, toi! crie M. Bougon, j'en ai par-dessus la tête de tes folies! »

« Tu vas passer le reste de l'après-midi en retenue si tu ne te calmes pas, le jeune! » crie Mme Empeine.

Soudain, Louis saisit Mme Empeine avec son énorme poing métallique.

« SAUVEZ-MOI! » crie Mme Empeine.

« Euh... euh..., dit M. Bougon un peu nerveux, je... je vais chercher de l'aide! »

M. Bougon s'enfuit et se glisse derrière le rideau rouge à pois noirs, où se trouvent déjà Georges et Harold.

« Hé, je pensais que vous alliez chercher de l'aide! » dit Harold.

« Eh bien… pas *aujourd'hui* », répond M. Bougon.

« Vous savez, dit Georges, il n'y a qu'une personne qui peut sauver Mme Empeine. »

« Qui ça? » demande M. Bougon.

# CHAPITRE 20
# LE CAPITAINE BOBETTE, QUI D'AUTRE?

Même si Georges et Harold n'aiment pas tellement l'idée, ils savent qu'il est grand temps que le capitaine Bobette intervienne. Georges fait claquer ses doigts. Aussitôt, la terreur et la panique que sentaient M. Bougon s'évanouissent.

Un large sourire un peu nigaud lui fend le
visage. Il se lève précipitamment, et arrache ses
vêtements et ses faux cheveux. La transformation
de M. Bougon en capitaine Bobette est presque
complète. Il lui manque seulement la cape.

« Euh, dit-il, j'aimerais bien trouver un
rideau rouge à pois noirs. »

« Hé, lui dit Georges en montrant du doigt
le rideau rouge à pois noirs, en voilà un. »

« Quelle coïncidence vraiment inattendue »,
dit le capitaine Bobette en empoignant la toute
dernière mode en matière d'accessoires de
superhéros et en se la nouant autour du cou.

Pendant ce temps, Louis... ou plutôt, Biocrotte Déné quitte l'usine en piétinant tout sur son passage et se dirige vers le centre-ville, laissant derrière lui une traînée de débris recouverts de mucus. Le capitaine Bobette prend son envol et suit la trace de la terreur jusqu'à ce qu'il arrive face à face avec le cyborg morveux.

« Au nom de tous les tissus prérétrécis et faits de coton, dit le capitaine Bobette, je t'ordonne d'arrêter! » Mais Biocrotte ne prête pas attention à ses paroles.

Le capitaine Bobette n'a d'autre choix que de combattre Biocrotte Dené. Mais avant, il doit délivrer Mme Empeine. Rapide comme l'éclair, notre héros arrive aux côtés d'Édith en volant, la saisit par les mains et se met à la tirer de toutes ses forces. Le mucus visqueux qui recouvre le poing géant du monstre est fort et gluant, mais il ne peut pas résister à la force du caleçon.

Le capitaine Bobette tire encore plus fort
et, dans un vacarme assourdissant, mouillé et
dégoûtant, il réussit à déloger Mme Empeine.
(Remarque : N'hésite pas à faire ton propre
son assourdissant, mouillé et dégoûtant pour
accentuer le côté dramatique et intense de ce
paragraphe enlevant).

« Je suis libre! s'écrie Mme Empeine. Vite,
allons-nous-en! »

Tout à coup, Biocrotte Dené se penche
et saisit le capitaine Bobette par la cape. Le
monstre se cramponne fermement à l'aide de ses
doigts robotisés visqueusement gigantesques.

« *AAAH!* s'écrie le capitaine Bobette! Il me
tient par la cape! Il me tient par la cape! »

« Dénouez-la! lui crie Mme Empeine. VITE!
VITE! »

« Mais je ne peux pas combattre les méchants
sans ma cape! » proteste le capitaine Bobette.

« *LAISSEZ FAIRE LA STUPIDE CAPE!* hurle
Édith Empeine. Vous devez me sauver! »

# CHAPITRE 21
# ENTRE LA CAPE ET ÉDITH, IL FAUT CHOISIR

Tout le monde vous le dira, on ne peut pas être un superhéros si on n'a pas de cape. Sans sa cape, un superhéros n'est qu'un homme qui porte des sous-vêtements de luxe (dans ce cas-ci, des sous-vêtements pas si luxueux que ça). Mais le capitaine Bobette sait ce qu'il doit faire. De sa main libre, il dénoue courageusement sa cape, sacrifiant valeureusement son intégrité esthétique pour sauver la vie d'une simple mortelle.

Le capitaine Bobette et Mme Empeine sont
maintenant libres, mais ils ne sont pas encore en
sécurité. Biocrotte Dené décoche de puissants
coups de poing en direction de notre héros. Le
capitaine Bobette esquive les poings recouverts
de mucus et tente de trouver un endroit sûr
pour se poser.

Tout à coup, la vision 100 % coton du capitaine Bobette aperçoit Georges et Harold à quelques kilomètres de là. À la vitesse de l'éclair, il vole à la rencontre des garçons.

« Georges et Harold, dit le capitaine Bobette, mettez cette femme à l'abri pendant que je m'occupe d'anéantir cette boule gluante robotisée! »

« OK, dit Harold, mais dépêchez-vous! La boule arrive! »

« ATTENDEZ! crie Mme Empeine. Je ne vous ai pas encore remercié. » Elle se retourne, le regard plein d'admiration, pour couvrir le visage du capitaine Bobette de baisers humides.

« Merci! Merci! Merci! » lui dit-elle entre chaque baiser détrempé.

« Beurk! » dit Harold.

« J'espère qu'elle ne *nous* remerciera pas »,
dit Georges.

Lorsque Mme Empeine en a fini avec ses
effusions baveuses, elle donne un gros câlin
au capitaine Bobette pour lui souhaiter bonne
chance.

« Maintenant, règle-lui son compte,
superhéros », dit-elle avec une fausse timidité.

Mais le capitaine Bobette reste immobile.
Il se tient debout, le regard vide.

Georges et Harold entendent Biocrotte Dené qui approche. Chaque pas retentissant le rapproche de plus en plus. Enfin, sa silhouette imposante, haletante et dégoûtante se dresse juste au-dessus des garçons.

Mme Empeine se met à hurler et s'enfuit.

« Dépêchez-vous, capitaine Bobette! crie
Harold. FAITES QUELQUE CHOSE! »

« Oui! crie Georges, BOTTEZ-LUI LE
DERRIÈRE! BOTTEZ-LUI LE DERRIÈRE! »

Mais le capitaine Bobette reste immobile.
Il ne combat pas le méchant. Il ne s'envole pas,
et ne botte pas le derrière de qui que ce soit.
En fait, il est très, très mécontent.

« MAIS QU'EST-CE QUI SE PASSE ICI?
hurle-t-il. Pourquoi suis-je au beau milieu de
la place, et en caleçon, en plus? »

Georges et Harold ne sont pas très contents
de la tournure des événements.

# CHAPITRE 22
## LE RETOUR DU BOUGON

Si tu as lu la page 7 de ce livre, tu sais ce qui se produit lorsqu'on verse de l'eau sur la tête du capitaine Bobette. Malheureusement, les baisers mouillés et pleins de bave de Mme Empeine ont eu le même effet que l'eau.

Le capitaine Bobette est redevenu M. Bougon. Et il va bientôt devenir le *dîner* du monstre!

Vite, Georges et Harold se mettent à claquer des doigts.

*CLAC! CLAC! CLAC! CLAC! CLAC!*

Ils claquent des doigts sans arrêt. Mais le visage de M. Bougon est toujours gluant et couvert des baisers visqueux de Mme Empeine. Les claquements de doigts des garçons n'ont absolument aucun effet sur lui.

Le puissant monstre de mucus enfonce
M. Bougon dans sa bouche collante et l'avale
tout rond...

...pour ensuite se lancer à la poursuite de Georges et d'Harold.

« À L'AIDE! » crie Georges.

« ON EST PERDUS! » crie Harold.

# CHAPITRE 23
# SULU À LA RECOUSSE

À mi-chemin de la ville, un petit hamster courageux aux oreilles bioniques entend le terrible appel au secours de ses deux meilleurs amis. Rapidement, Sulu sort de sa roue d'exercice et défonce sa cage de plastique.

Puis, d'un bond puissant, il s'élance par la fenêtre de la maison dans l'arbre de Georges et Harold.

Au même moment, le monstre balance Georges et Harold au-dessus de sa bouche béante.

« HA, HA, HA! s'esclaffe Biocrotte Dené. MOI VOUS AVOIR ENFIN! »

« Adieu, Harold », dit Georges.

« On se retrouvera là-haut, lui répond Harold. Il faut dire qu'on s'est bien amusés. »

Puis Louis écarte les doigts et laisse tomber Georges et Harold. Les deux garçons poussent un hurlement en tombant la face la première dans la bouche visqueuse et béante du…

*SWOUOUOUOUOUCHE!*

Tout à coup, Georges et Harold sont en train de filer dans le ciel, côte à côte et à une vitesse hallucinante. Tout ce qui les entoure est flou, sauf Sulu, leur petit compagnon, lui qui les a littéralement sortis de la bouche ténébreuse de la mort à la toute dernière seconde.

« Toi, tu es un copain! » s'écrie Georges.

« Vive Sulu! » crie Harold.

Sulu dépose Georges et Harold sur le toit d'un édifice situé plus loin et retourne sur la scène du crime. Il décroche des objets publicitaires placés sur le toit de quelques entrepôts et se retourne pour faire face à son ennemi juré.

# CHAPITRE 24

# CHAPITRE D'UNE EXTRÊME VIOLENCE, 2ᴱ PARTIE (EN TOURNE-O-RAMA^MC)

## AVERTISSEMENT :

Les cascades suivantes
ont été réalisées
par un hamster
professionnel superentraîné,
dans des rues fermées
à la circulation et aux piétons.
Pour éviter les blessures,
ne pas saisir de super gros objets
publicitaires placés sur le toit
des entrepôts pour combattre
des monstres géants.

# TOURNE-O-RAMA 2

(pages 147 et 149)

N'oublie pas de tourner
*seulement* la page 147.
Assure-toi de pouvoir voir les dessins
aux pages 147 *et* 149 en tournant la page.
Si tu la tournes assez vite, les dessins
auront l'air d'un seul dessin animé.

N'oublie pas de faire
tes propres effets sonores!

**MAIN GAUCHE**

# HÉ! MÉFIE-TOI DU HAMSTER À LA CANNE!

POUCE
DROIT

INDEX
DROIT

# HÉ! MÉFIE-TOI DU HAMSTER À LA CANNE!

# TOURNE-O-RAMA 3

(pages 151 et 153)

N'oublie pas de tourner
*seulement* la page 151.
Assure-toi de pouvoir voir les dessins
aux pages 151 *et* 153 en tournant la page.
Si tu la tournes assez vite, les dessins
auront l'air d'un seul dessin animé.

N'oublie pas de faire
tes propres effets sonores!

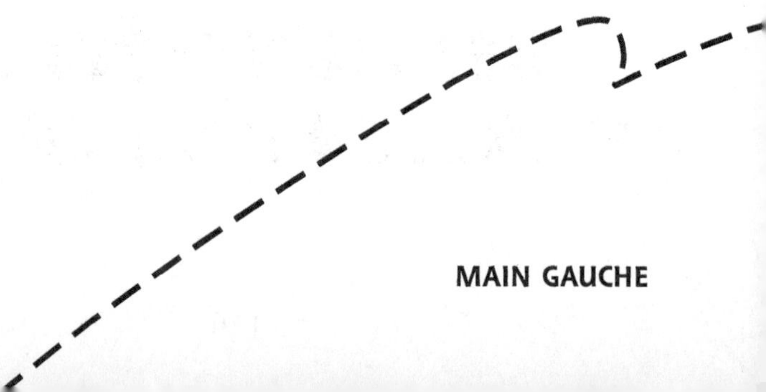

**MAIN GAUCHE**

# AYOYE DONC!
# (J'AI UN GANT
# DANS LE BEDON.)

151

INDEX
DROIT

# AYOYE DONC!
# (J'AI UN GANT
# DANS LE BEDON.)

# TOURNE-O-RAMA 4

(pages 155 et 157)

N'oublie pas de tourner
*seulement* la page 155.
Assure-toi de pouvoir voir les dessins
aux pages 155 *et* 157 en tournant la page.
Si tu la tournes assez vite, les dessins
auront l'air d'un seul dessin animé.

N'oublie pas de faire
tes propres effets sonores!

**MAIN GAUCHE**

# ÇA S'APPELLE
# PRENDRE LE DERRIÈRE
# AUX DENTS.

POUCE
DROIT

# ÇA S'APPELLE
# PRENDRE LE DERRIÈRE
# AUX DENTS.

# CHAPITRE 25
# COMMENT INVERSER LES EFFETS DU COMBINOTRON 2000 EN UNE SEULE ÉTAPE

Biocrotte Dené est maintenant vaincu. Il s'effondre, inconscient, dans une goutte géante de mucus qui s'étend sur plusieurs rues (et sur près de quatre pages), pendant que des journalistes se rassemblent autour de son corps imposant et tout suintant.

Peu après, la mère et le père de Louis arrivent avec le Combinotron 2000. « Nous avons vu ce qui s'est passé à la télé, expliquent-ils. Et nous voulons que le monde sache que nous allons créer un nouvel appareil pour inverser le procédé qui a transformé notre fils en monstre. En travaillant ensemble, il nous faudra seulement quelques mois pour le terminer. »

« Vous pourriez tout simplement retirer les piles du Combinotron et les remettre à l'envers, suggère Georges. Ça inverserait peut-être les effets de l'appareil. »

« Tu ne t'y connais pas du tout en science, mon garçon, dit le père de Louis en riant. Il ne suffit pas d'insérer les piles à l'envers dans un Combinotron à molécularisation cellulaire hautement sophistiquée pour en inverser les effets. C'est le genre de truc qu'on voit uniquement dans les insupportables livres pour enfants. »

« Ah bon, dit Georges timidement. Eh bien… pourquoi n'essayez-vous pas, juste pour voir? »

« Bon, d'accord », dit M. Labrecque en roulant les yeux et en faisant un petit sourire moqueur. Il change rapidement les piles et met l'appareil en marche. « Je tiens à vous dire que je fais ceci uniquement pour vous démontrer une chose : ça ne marchera pas. Pas du tout, même. Jamais dans cent ans. Et ceux qui croient que ça pourrait marcher sont des idiots. Ça irait à l'encontre de toutes les lois établies de la logique et de la science. »

M. Labrecque braque le Combinotron 2000 reconfiguré en direction de son fils et appuie sur la détente.

# CHAPITRE 26

# BLAZZZZ!

Une terrible explosion se produit. Biocrotte Dené éclate en trois gigantesques morceaux de morve coulante et de métal tordu, qui éclaboussent trois immeubles tout près et y restent collés comme des abeilles sur un pot de miel. Au beau milieu de l'explosion, dans un nuage de fumée, se trouvent M. Bougon et Louis.

« Qui l'aurait cru? dit M. Labrecque. Mon idée a donné des résultats. »

Georges et Harold se regardent d'un drôle d'air.

« Maintenant, éloignez-vous, les enfants », dit Mme Labrecque en marchant avec son mari en direction des journalistes pour expliquer leur découverte scientifique brillante et inspirante.

Mais, lorsque la fumée entourant M. Bougon et Louis se dissipe, il apparaît évident qu'ils n'ont pas repris tout à fait leurs aspects normaux. Le Combinotron 2000 reconfiguré a, par accident, soudé M. Bougon et Louis ensemble.

« Ne vous inquiétez pas, dit M. Labrecque aux journalistes. Je dois simplement les zapper une fois de plus. Ça devrait les séparer! » Une fois de plus, il met le Combinotron 2000 en marche et se prépare à faire feu.

« J'espère vraiment qu'il va réussir à séparer leurs corps », dit Georges.

« Moi aussi », souffle Harold.

*BLAZZZZ!*

# CHAPITRE 27
# EN BREF

Ça a marché.

# CHAPITRE 28
# TOUT EST BIEN QUI FINIT BIEN

« Tu sais quoi? dit Georges. C'est la première fois qu'un de nos livres finit bien. »

« C'est vrai, répond Harold. D'habitude, ils se terminent par un "OH NON!" sorti de ta bouche et par un "Et v'là que ça recommence!" sorti de la mienne. On a été chanceux, cette fois. »

« Qu'est-ce que tu entends par *chanceux*? dit
M. Bougon. C'est MON invention qui a permis de
sauver le monde. Vous êtes des *vrais* bébés! »

« Quoi? » dit Georges.

« Tous les deux dans mon bureau ET QUE ÇA SAUTE! crie Louis. La punition que je vais vous donner sera si terrible que vos enfants vont déjà être en retenue à leur *naissance*! »

« Quoi? » dit Harold.

Soudain, une des huit pinces extensibles se
déploie de l'un des trois morceaux de crottes de
nez colossaux, saisit le Combinotron 2000 des
mains de M. Labrecque et se met à le frapper
sur le sol jusqu'à ce qu'il soit en mille miettes.
M. et Mme Labrecque s'enfuient, tandis que les
trois morceaux de crottes de nez colossaux
prennent vie.

Lentement, ils glissent le long des édifices, chacun s'alimentant en énergie à l'aide d'un processus indépendant à double turbo 9000 SP5 fait de titane et de lithium.

Alors que les morceaux de crottes de nez
colossaux s'approchent de plus en plus en
suintant, des globes oculaires métalliques à
l'allure étrange et de longs membres robotisés
menaçants surgissent sur eux.

Tout à coup, les trois ridicules crottes de nez
robotiques bondissent vers Georges, Harold,
Sulu, M. Bougon et Louis...

...et se lancent à leur poursuite.

« OH NON! » s'écrie Georges.

« Et v'là que ça recommence! » enchaîne Harold.

# PAS ENCORE!

**Georges, Harold et leurs compagnons vont-ils réussir à semer les crottes de nez robotiques? Tu le verras dans la 2ᵉ partie de cette aventure :**

PARAÎTRA BIENTÔT!